Anne Fine

L'anniversaire du chat assassin

Illustrations de Véronique Deiss
Traduit de l'anglais par Véronique Haïtse

Mouche
l'école des loisirs
11, rue de Sèvres, Paris 6e

© 2010, l'école des loisirs, Paris pour l'édition française
© 2008, Anne Fine
Titre de l'édition originale : The Killer Cat's Birthday Bash
(Puffin Books, The Penguin Group, London)
Loi n° 49.956 du 16 juillet 1949 sur les publications
destinées à la jeunesse : septembre 2010
Dépôt légal : décembre 2012
Imprimé en France par Hérissey / Qualibris à Évreux (Eure) - N° 119759

ISBN 978-2-211-20114-8

Du même auteur à *l'école des loisirs*

1

Ce n'est pas ma faute !

OK, OK, donnez-moi une fessée sur mes petites fesses poilues ! Oui, j'ai organisé une fête. Tant que vous y êtes, continuez ! Étouffez-moi avec des croquettes aux remords. Eh oui, cette fête a mal tourné !

Bon… plus que mal tourné. Tout a dérapé.

Bon… plus qu'un petit dérapage. Une véritable émeute.

Mais ce n'est pas ma faute :

Si Ellie ne s'était pas tellement ennuyée, elle n'aurait pas fouillé dans le buffet, elle n'aurait pas trouvé ce vieil album photo et moi, je n'aurais jamais appris la date de mon anniversaire. Et rien de tout cela ne serait arrivé.

Alors, prenez-vous-en à Ellie ! Pas à moi.

2
Vous parlez de moi ?

C'est un jour affreux. Affreux. La pluie cogne sur les carreaux. Le vent hurle. Ellie s'allonge sur le tapis et feuillette l'album.

— Oh, Papa ! Regarde ! Une photo de ta culbute dans le fossé plein de boue.

(Une place tout indiquée pour cet homme, si vous voulez mon avis.)

— Oh, Maman ! Viens voir cette photo. Tes cheveux sont magnifiques.

(Sur la planète Allure-Zéro, peut-être. Mais pas ici.)

Et Ellie continue, poussant des cris aigus, comme la petite souris que Tiger et moi nous avons terrorisée derrière la poubelle. Insupportable ! Je préfère sortir quand, dans un nouveau cri de souris…

– Oh, en voilà une de Tuffy ! Il est A-DO-RA-BLE !

Je me retourne, lui lançant mon regard «Tu parles de moi ? ».

Elle ne remarque rien, trop occupée à en faire tout un plat, et *oh ! oh ! oh !* et *ah ! ah ! ah !* et ses petits roucoulements.

– Oh, Maman, viens voir. Tuffy est si mignon.

Je ne vais pas baisser la tête de honte ni m'excuser. À cette époque, je n'étais qu'une boule de poils. J'étais un chaton. Et les chatons, c'est mignon.

Ellie montre une autre photo.

– Et sur celle-ci, Tuffy est magnifique !

Impossible de résister. Je suis trop curieux. Je reviens sur mes pas. Oui, une photo de moi, des yeux immenses, pleins de confiance, et mon pelage, un nuage duveteux comme sur les cartes à l'eau de rose que votre grand-tante adresse à votre mère. Une vision à vomir ! Ellie pointe la légende sous la photo :

— *Notre délicieux nouveau chaton. Né le 31 octobre.*

Ellie se retourne vers sa mère.

— Nous sommes au mois d'octobre, c'est bientôt l'anniversaire de Tuffy !

— C'est vrai, dit la mère d'Ellie.

Le père d'Ellie ne peut s'empêcher d'ajouter une note amère à ce doux moment familial :

— Le 31 octobre ? C'est aussi le jour d'Halloween, non ? Quand tout ce qu'il y a de plus diabolique, affreux et dangereux surgit pour régner dans les rues, grogne-t-il. Une date qui convient comme un gant à l'anniversaire de Tuffy !

Quel grossier personnage !

Lui accorder la moindre attention ?

Non.

Trop occupé à réfléchir.

Le 31 octobre. Mon anniversaire…
Pourquoi je n'organiserais pas une fête ?
Eh oui, pourquoi pas ?

3

Interdit aux chiens

— Très bien. Premièrement, il faut choisir l'endroit où nous allons organiser ta fête d'anniversaire, dit Bella.

— Chez moi, bien évidemment, je réponds. C'est ma fête d'anniversaire, donc je l'organise dans ma maison !

Bella soupire.

— Tu as oublié la date de ton anniversaire ?

— Non. (Impossible de lui répondre sans être sarcastique.) Comme je n'ai pas posé mon cerveau avant de sortir, je peux te dire que c'est le 31 octobre.

— Oui, c'est bien ça. Et c'est aussi la date retenue par ta famille pour organiser une grande soirée Halloween avec tous les voisins.

— Vraiment ? (Je suis sous le choc.) Première nouvelle. (Je me tourne vers Tiger.) Tu es au courant ?

— Bien sûr ! Ce matin, j'étais tranquille devant la maison, je m'occupais de mes petites affaires, et paf ! l'invitation est tombée de la boîte aux lettres, là juste sur ma tête. J'ai encore une bosse.

— Moi aussi, je le sais. Ma famille a déjà ressorti la boîte de déguisements, ajoute Snowball en faisant la grimace. Et

Tanya a trouvé très drôle de me coiffer d'un bonnet de nuit.

— Et qu'est-ce que tu as fait ?

— Je l'ai griffée, bien évidemment, et très fort. Ça lui a passé l'envie.

Tout le monde rigole. Pas moi. Je ne suis pas d'humeur.

— Je n'y crois pas ! Vous habitez dans une maison depuis des années. Ils vous nourrissent, vous câlinent, vous font croire que vous faites partie de la famille. Et ils envoient des invitations dans votre dos !

Bella comprend tout de suite à quel point je suis blessé.

— Tu n'étais peut-être pas là quand ils en parlaient, suggère-t-elle.

Je me remémore cette dernière semaine. C'est vrai que j'ai passé une bonne partie de mes journées à courser les écureuils. Et mes soirées, avec la bande. Si je suis honnête, je dois avouer que je suis juste venu vérifier ce qu'ils m'avaient laissé dans mon assiette pour savoir si je n'avais pas plutôt intérêt à faire un tour du côté du poissonnier et à soulever le couvercle de sa poubelle.

Mais malgré tout, je suis vexé. Si ma famille décide d'organiser une fête, on aurait pu espérer que ce soit pour fêter mon anniversaire plutôt que cette bêtise d'Halloween.

Oui, je suis suffisamment en rogne pour être sûr de ma décision :

— Bon, alors, nous organiserons ma fête ailleurs. Que diriez-vous des poubelles de recyclage ?

— Un peu dangereux, indique Bella.

Toutes ces voitures qui font marche arrière, dans la nuit, pour jeter les papiers et les bouteilles.

— Sous le baraquement des scouts ?

— Tu plaisantes ! intervient Tiger. On rentre à peine là-dessous, et surtout, ça gèle.

Bon, le problème est réglé.

— D'accord, je leur dis, on va faire ma fête dans l'écurie des Fletcher.

— Ça veut dire qu'il faut inviter les chevaux ?

Tout le monde y va de son commentaire. Les chevaux ! Tu imagines ?! Les tagada-tagada. Les naseaux noirs si énormes que tu peux grimper dedans et t'y perdre. Les pattes aussi noueuses que les meubles de grand-mère. Un cheval, ce n'est rien d'autre qu'une barrique rondelette posée sur des allumettes avec des pieds pareils à des tasses à thé retournées.

Et vous pensez que ce sont de bons compagnons de fête? Je ne crois pas. Mais bon, difficile de faire une fête chez quelqu'un et de ne pas l'inviter.

— Bon, OK pour les chevaux.

— Et les chiens? demande Bella.

— Les chiens, répète Tiger en frémissant. (Il vient juste de descendre de l'arbre dans lequel il s'était réfugié pour échapper au jeune Buster.) Non, sûrement pas.

Snowball, qui est plus qu'une tendre mauviette, veut en être sûre :

— Même cette petite chose sans défense, celle de chez Laurel Way, qui ressemble à un plumeau sur pattes et qui est si bébête qu'elle ne sait même pas sauter sur un lit?

– Non, insiste Tiger. Même pas lui. Si un seul chien est invité, je ne viens pas. C'est réglé. Interdit aux chiens.

4

Des fantômes dans le placard

En chemin, j'échafaude un plan pour me venger de ma famille.

Comme ça, ils préfèrent les vampires et les fantômes à leur propre chat… C'est ce qu'on va voir.

Je me faufile par la porte de derrière, puis monte les escaliers pour finir dans la chambre d'Ellie. Mademoiselle Je-suis-bien-dans-mes-pompes est assise sur son lit, un livre à la main.

Je saute sur le lit et me blottis contre elle.

– Tu es si mignon, si doux, si câlin.

Je garde mon calme. Je manque de m'étouffer de rire mais je transforme ça en un gentil ronron.

– Oh, mon Tuffy ! J'aime tant quand tu viens me voir comme ça. Installe-toi bien confortablement tout contre moi et endors-toi dans mes bras.

Je ferme les yeux et compte jusqu'à dix. Et là, juste au moment où elle dégage son bras pour tourner la page de son livre, je me dresse sur mes pattes en fixant la porte du placard.

Ellie lève le nez de son livre.

– Qu'est-ce qui se passe, Tuffy ?

Je fais le dos rond en fixant toujours la porte du placard.

– Allez, crie Ellie, c'est juste un placard ! La seule chose qui se trouve dans ce placard, ce sont des chaussures et mes vêtements !

Je lui lance mon bref coup d'œil « je ne te crois pas » et tous mes poils se dressent.

– Tuffy ? dit-elle un peu nerveuse.

Elle se glisse hors du lit, s'approche du placard.

– Miaaaaooooouuuuuu !!!

Un message clair pour lui conseiller de ne pas faire un pas de plus. Pas la peine d'être un chat pour comprendre : pour rien au monde il ne faut ouvrir ce placard !

Terrifiée, Ellie dévale les escaliers.

Le temps d'une petite pause pour moi. À son retour, quelques minutes plus tard (serrant bien fort la main de ses

parents), je suis de nouveau dans la posi-
tion du chat terrifié, pétrifié devant la
porte du placard aux fantômes.

À voir le père d'Ellie, on comprend
tout de suite qu'il a été dérangé au beau
milieu de quelque chose de très intéres-
sant à la télé. Il jette un coup d'œil dans

la chambre, pour la forme, et me lance un regard mauvais.

Je garde le dos rond, le poil dressé, le regard fixe.

La mère d'Ellie ouvre le placard, pousse les vêtements suspendus, et regarde derrière.

– Rien de bizarre de ce côté.

– Vérifie l'autre côté, supplie Ellie. (Elle est morte de peur.)

La mère d'Ellie inspecte l'autre côté.

– Rien à signaler.

– Regarde les deux côtés en même temps, insiste Ellie.

Pour obéir aux ordres, Monsieur Grognon-grincheux passe la tête d'un côté du placard pendant que Madame Je-suis-beaucoup-plus-aimable enfonce la sienne de l'autre, et ils remuent les cintres en chœur.

– Ellie, il n'y a rien de bizarre par ici.

Je rassemble mes forces pour une danse intitulée *Je suis terrifié* et je crache en direction du placard.

Ellie éclate en sanglots et leur crie, très en colère :

— Alors, vous m'expliquez pourquoi Tuffy n'a pas l'air de vous croire ? Et les animaux ont beaucoup d'instinct pour repérer les fantômes.

— C'est parce qu'ils sont stupides, conclut le père d'Ellie en me regardant droit dans les yeux.

Oh, très sympa ! Alors je crache à nouveau, et cette fois-ci je m'arrange pour que ça atterrisse sur son pantalon.

La mère d'Ellie prend les choses en main, pour ne pas y passer la nuit.

— Je pense qu'il vaut mieux que tu viennes dormir avec moi, Ellie. Et ton Papa ira dans le lit des invités.

Bien fait ! J'ai passé tellement de temps dans ce lit, mais moi je peux me mettre en boule ! Ce n'est pas la même histoire quand on est grand et maigre comme lui. C'est le royaume des bosses, ce bon vieux lit. Et il le sait bien. En sortant, il me lance un regard encore plus mauvais. Je prends mon air le plus dédaigneux pour lui faire comprendre que c'est tout ce qu'il mérite, lui qui a décidé de ne pas organiser l'anniversaire de son si merveilleux chat.

Des fantômes dans le placard et des bosses dans son lit, voilà le prix à payer. Que ça vous serve de leçon !

5

Quand les caniches sauront voler

Le compte à rebours a commencé. Si vous êtes mon ami, c'est le compte à rebours de mon anniversaire, si vous n'êtes pas de mes amis, c'est celui d'Halloween.

Je fais souvent la tête.

Bon, d'accord, je fais plus que bouder : je rapporte des proies mortes au moment de leur déjeuner, je laisse mes poils sur leurs taies d'oreiller, et je fais des trous dans leurs précieux tapis.

Bon an mal an, je passe une excellente semaine.

Enfin, le grand jour arrive. En début d'après-midi, ma famille monte en voiture pour chercher tout ce dont ils ont besoin pour leur fête. Je suis tombé sur la liste. À manger. Décorations effrayantes. Masques d'Halloween… J'ai lu la liste du début à la fin, plusieurs fois, sans jamais tomber sur « Un cadeau pour Tuffy ».

Et ce n'est même pas pour faire des économies : ils reviennent des victuailles plein les bras. Ils ont même fait une folie : un projecteur pour éclairer la façade de la maison !

Notre homme n'est pas le roi des bricoleurs. Alors, quand je le vois avec sa boîte à outils, à la recherche de ce qui lui manque pour son installation

électrique, je trouve plus judicieux de partir.

Pourtant ce n'est pas la bonne heure pour être dehors. Juste avant la tombée de la nuit. Des chiens partout, des chiens que l'on sort avant de passer à table. Devoir sortir son chien, c'est ce qu'il y a de pire avec ces bêtes-là ! De toute façon, les chiens sont une nuisance. Je vous invite à réfléchir à la question. Quand ils en ont marre de leurs occupations stupides – *Au pied ! Fais le beau ! Va chercher ! Assis !* –, ils poussent des cris plaintifs, ils font tout un plat pour que leurs maîtres les sortent.

Moi ? Je passe la porte, seul.

Les propriétaires de chiens doivent trouver la laisse, la démêler, rassembler quelques sacs en plastique au cas où… (Pouah ! Pouah ! Pouah ! Pouah !) Et la moitié des heureux propriétaires de chiens doivent se munir de gâteaux pour un simple aller-retour au parc !

Les chiens n'aiment pas que l'on se moque d'eux. Non mais, vraiment ! Vous ne trouvez pas ça pathétique d'être aussi grand et de ne même pas être capable de traverser la rue tout seul ou même de savoir rentrer chez soi seul ?

Enfin, toujours plongé dans ma réflexion, j'aperçois Mrs Pinkey traînant Buster loin du lampadaire le plus sale de la ville.

– Mon pauvre petit, toujours avec ta petite laisse de bébé !

Impossible de ne pas me moquer de lui.

Mince ! Je n'ai pas vu Tilly, la grand-tante de Buster.

— N'y songe même pas, gros lard, grogne-t-elle. Tu t'en prends à Buster, je m'en prends à toi.

Je regarde mon flanc gauche. Puis je regarde mon flanc droit.

— Non, dis-je. Aucun signe extérieur de peur. Mais c'est peut-être que j'ai un léger avantage sur quiconque est traîné par une longue corde.

— Fais ton malin ! dit-elle en montrant les dents. Si les chats sont si supérieurs, pourquoi il n'y a pas de chats pour aveugles ? Et pourquoi la police ne compte pas de chats renifleurs dans ses rangs ?

– Bien dit, se moque Buster. Vous n'êtes bons qu'à traquer les oiseaux.

– C'est toujours mieux que de leur aboyer dessus, petit demeuré !

Il fait un mouvement brusque en avant, Mrs Pinkey sursaute et lâche la laisse.

Je décolle telle une fusée.

– Ton heure viendra, menace la grand-tante Tilly lorsque je file sous son nez. Notre portail n'est pas toujours bien fermé. Je t'aurai un jour.

– Oui, c'est ça ! Quand les caniches sauront voler ! je lui crie du bon côté du mur.

Je suis bien content que Tiger ait mis son veto sur la présence de chiens à ma fête.

6
C'est pour bientôt

Ne pas oublier d'inviter Misty.

– Hé! mec, une fête? miaule-t-elle.
Excellent! C'est cool!

Ah, j'allais oublier Muff et Puff!

– Pourquoi tu appelles ça une fête?
ils me demandent quand je les invite. Ce
n'est pas ce que l'on fait tous les soirs:
passer la nuit dehors et faire du bruit?

– Toi, tu n'es pas invité, je précise à
Pudge, le terrier. Pas de chiens à cette fête.

– Hou, ouah ouah, sniff sniff, se moque-t-il.

– Tu as prévu des jeux ? demande Fluffball.

– Oui, les mêmes que d'habitude, je réponds. Cache-cache dans la balle de foin. Déchiqueter la paille. Faire pleurer les souris. Oui, et puis aussi, sûrement une course autour des poutres de la charpente.

Tous ensemble, on longe la grange. Dans le grenier à foin, Georgie ramasse à la pelle, en grognant, les toiles d'araignée qu'il accroche aux poutres comme de jolies guirlandes.

– J'opte pour un style sans chichis, nous explique-t-il. Rustique, nature. Une ambiance aux couleurs de terre.

– Tu veux dire marron, demande Fluffball.

Georgie la regarde d'un air sévère.

– Venez là ! rouspète-t-il. Nous sommes un vrai arc-en-ciel. Kaki et châtaigne. Grège. Pain grillé, beige rosé et roux. Biscuit. Son et tabac. Café et fauve.

On le laisse débiter tous ces précieux tons de bruns ternes et on file au buffet.

Snowball se tient fièrement devant une balle de foin couverte de mets délicieux.

– La plupart des choses viennent de l'épicier d'à côté, nous explique-t-il. C'était son jour d'inventaire. J'ai mis la main sur d'excellents pâtés, périmés d'un jour seulement.

Je pointe mon museau vers les petits pots.

– Regardez-moi ça, je m'en lèche les babines d'avance ! De la crème épaisse ?

– Rien n'est trop beau pour ton anniversaire, mon gars !

Je regarde en bas : les chevaux agitent leurs sabots.

– Les gars, les filles, vous êtes prêts ? Ça ne va plus tarder !

7

Faire peur aux chevaux !

La fête était super. Ça a chauffé !

On a d'abord joué aux boomerangs.

Après, on a fait la course autour des poutres. J'ai choisi Marmelade, la cousine de Tiger, comme partenaire de relais. Elle me semblait douée pour prendre les virages. Et j'avais raison. Nous avons remporté haut la patte l'épreuve éliminatoire et nous sommes partis d'un pas dansant et sûr vers l'épreuve finale.

Le buffet entier a été dévoré. Un délice ! Bien meilleur que tout ce qu'ils peuvent manger à leur fête d'Halloween.

Une fois rassasiés (voire même ballonnés), nous avons joué à faire peur aux chevaux.

C'était un peu méchant, surtout qu'ils dormaient déjà. Mais qu'est-ce qu'on a ri ! La règle du jeu est simple : attendre que le pauvre chéri soit endormi dans son box, et là, d'une certaine hauteur, vous sautez sur son gros postérieur.

Griffes rentrées. Autrement, ça ne serait pas juste.

Le chéri se réveille, surpris, et il hennit. Hiiiii ! Hiiiii !

Cinq points pour un simple *hiiiii*. Dix pour un double. Deux points supplémentaires s'il y a un bruit de sabot en plus.

Et un bonus de dix points si deux des sabots du cheval quittent le sol en même temps.

Un jeu génial !

Le problème, c'est qu'on a joué très tard. Au final, on a réveillé la fermière. Elle n'était pas de bonne humeur quand elle est arrivée en pyjama et en bottes dans la grange.

On s'est faits tout petits pendant qu'elle inspectait les chevaux, une caresse par-ci, un mot rassurant par-là.

— Alors mes beaux, c'est quoi le problème ? Quelque chose ne va pas, Dolly ? Pourquoi vous vous rongez le mors comme ça ?

Elle a levé les yeux vers le grenier. Un instant, j'ai cru qu'elle allait monter à l'échelle et découvrir tout le bazar qui traînait sur la balle de foin. On a eu de la chance. Elle s'est contentée d'écouter.

Elle n'a pas assez bien écouté, si vous voulez mon avis. Si elle avait fait son inspection dans les règles, elle aurait entendu les petits bruits de pas sur la paille. Si elle avait bien fait sa ronde, elle aurait vu ce que nous avons vu : Buster et deux mauvais petits fox-terriers se faufilant par la porte de l'écurie qu'elle avait oublié de fermer et se cachant derrière la brouette.

La fermière est ressortie et n'a rien vu.

8

Et voilà le club des affreux

Vous pouvez me détester jusqu'à la fin de vos jours, mais je vais le dire quand même : j'espère que votre Maman et votre Papa ne vous laisseront pas sortir pour Halloween.

Et si vous les harcelez assez long-temps pour que, finalement, ils vous lais-sent sortir afin de montrer votre tout nouveau masque de monstre aux voisins, j'apprécierais qu'ils vous aient appris à bien fermer le portail derrière vous.

Ce soir-là, tous les enfants de la ville s'étaient donné le mot pour laisser sortir tous les chiens de la ville pendant qu'ils jouaient à «Des bonbons ou des coups de bâton*!». Quand on a réussi à fausser compagnie à Buster et aux fox-terriers, les rues grouillaient de chiens de toutes races, de toutes tailles, tous prêts à descendre dans l'arène, tous aboyant.

— Hé, mes petits minous! Pas là peine d'essayer de vous échapper. On va tous vous bouffer et vous transformer en boulettes de fourrure.

— Vite, Rusty, prends la tête!

* Halloween est fêtée principalement en Irlande, au Canada, en Australie, en Grande-Bretagne et aux États-Unis. La tradition la plus connue veut que les enfants se déguisent avec des costumes qui font peur (fantômes, sorcières, monstres, vampires, par exemple) et aillent sonner aux portes en demandant aux adultes des bonbons avec la formule : *Trick or treat !* (Des bonbons ou des coups de bâton!)

– Grrrrrrr !

– Max, Wolfie, ne laisse pas ces petites bêtes soyeuses franchir le mur !

Je vous le dis, si j'avais su que je devais cavaler jusqu'à la maison, jamais je n'aurais fini le pot de pâté.

Ou les trois têtes de poisson.

Ou ce feuilleté à la crème.

On a pris tous les raccourcis connus. Ces faux jetons à quatre pattes ne savent pas sauter. La plupart de mes invités nous quittaient quand ils passaient devant chez eux.

– Bonne nuit, Tuff' ! Merci pour cette super fête !

– Une nuit d'enfer, Tuff' !

– On remet ça l'année prochaine !

Une fois au coin de ma rue, il ne reste plus que Bella, Tiger et moi.

Bella jette un coup d'œil derrière elle.

— C'est bon, on a semé ces petits saligauds.

— Loin, loin derrière nous, assure Tiger.

Arrêt en dérapage devant ma maison. Une pause. La maison bourdonne, déborde d'invités. On les regarde parler, rire, le verre à la main.

Je demande à mes deux compagnons :

— Qu'est-ce que vous en pensez ? Il semble plus que probable que, là-dedans, il y en a un qui est allergique aux chats. On pourrait rire un peu. On se faufile ?

Mais Tiger et Bella ne s'intéressent plus aux invités. Ils observent, sur la façade, le grand cercle de lumière.

— Cool ! dit Bella.

– Ah oui, cool ! renchérit Tiger.

À mon tour, je découvre ce grand rond brillant.

– Ouais, pas mal.

Mais bon, je dois le reconnaître, c'est cool.

– Hé ! dit Tiger. On joue à « Devine ce que c'est ? ».

– C'est moi qui commence, insiste Bella.

Elle s'assoit dans l'herbe, juste devant le projecteur, elle fait dépasser sa queue, elle l'enroule jusqu'à ce que seulement la pointe soit dressée.

– Une glace à l'italienne ? tente Tiger.

– Une crotte de chien ! je suggère.

Je gagne cette manche. C'est au tour de Tiger. Il avance devant le projecteur, et prend la forme d'un ovale parfait. Puis il dresse un petit bout de patte de chaque côté.

Bella et moi, on fixe la silhouette sur le mur.

– Un sac de charbon ? essaie Bella.

– Deux limaces qui font une course en sac ? je propose à mon tour.

On aurait pu chercher toute la nuit (la réponse était : un hibou), mais les aboiements hystériques que l'on entendait au loin, puis de plus en plus près, provenaient finalement du coin de la rue.

– Oh, oh ! (Tiger se décompose.) Fin de la partie. Voilà le club des affreux.

– Non, non ! je le rassure. Pas un seul de ces sacs à puces n'est capable de sauter par-dessus la clôture. Nous sommes en sécurité.

On ne joue plus à « Devine ce que

c'est ? » mais à « Devine qui avait tout faux ? ».

Moi. Oui, c'est ça. Moi, j'avais tout faux.

Ce serpent à sonnette de berger allemand, celui qui veut décrocher la médaille d'or au concours du chien le plus agile, a réussi à sauter par-dessus la clôture, une petite pause sur ses pattes arrière et un coup de pattes avant sur le loquet du portail. Et en une seconde, tous les chiens de la ville sont dans notre jardin.

Le club des affreux est là.

9

Une créature terrifiante

OK, OK, donnez-moi des vers de terre à manger pendant une semaine ! Oui, les chiens sont rentrés dans la maison !

Et c'est ma faute ? Comment aurais-je pu deviner que quand j'ai reculé d'un bond, les griffes sorties, les poils dressés, une ombre géante est apparue sur le mur ?

Je ne pensais pas que j'aurais l'air si féroce.

Et énorme.

Et terrifiant.

Je ne pensais pas que mon ombre terroriserait à ce point les chiens… De vraies mauviettes.

Et ce n'est pas ma faute s'ils couraient en cercle en jappant, en gémissant. Et Bella et Tiger qui se sont adossés au portail par accident ! Ils ne pensaient pas prendre au piège toute la bande. (Tous, sauf notre médaille d'or du chien le plus agile, bien évidemment, qui a sauté pardessus la clôture, dans l'autre sens, direction la maison et sa collection de trophées.)

Quand les chiens ont compris qu'ils étaient enfermés dans le jardin, ils se sont faits tout petits, de vraies poules mouillées, tous désespérés car il n'y avait aucun moyen d'échapper à la créature terrifiante. Cette créature féroce et énorme qui arrivait de nulle part pour les attraper.

OK, donnez-moi une fessée ! Comment aurais-je pu imaginer que ce gros labrador plein de soupe allait se jeter si fort sur notre porte d'entrée et l'ouvrir ?

Et que tous les chiens le suivraient pour fuir le monstre ?

Toute la bande.

Directement au milieu de la fête.

On a eu droit à des insultes, des cris, des meubles renversés, des verres cassés. Et puis, les invités se sont réfugiés dans le jardin, pour fuir ces chiens fous.

Je regarde Tiger et Bella. Tiger et Bella me regardent.

Je jette un coup d'œil à ma silhouette. Un chat géant.

Ça devient un peu ennuyeux, cette histoire.

— Qu'est-ce que vous en pensez, les gars ? je leur demande. Que la fête continue ?

— Pourquoi pas ? Maintenant que l'on a commencé…

— Absolument, insiste Bella. Vas-y, Tuff'. À la demande générale, une prestation de gala !

Je m'exécute.

10

Un spectacle très réussi

Je ne pense pas que l'on ait déjà rencontré, dans l'histoire du monde, des gens que l'on puisse effrayer aussi facilement.

Bien sûr, Halloween tombait bien. Comment le père d'Ellie nous a-t-il présenté cette journée, déjà ? « Quand tout ce qu'il y a de plus diabolique, affreux et dangereux surgit pour régner dans les rues. Un jour qui convient comme un gant à l'anniversaire de Tuffy ! »

Un jour qui convient parfaitement à mon spectacle. Sauf que ce n'était pas le jour, mais la nuit. Une nuit noire, presque sans lune. Le vent pliait les arbres, les chiens pleurnichaient, gémissaient. Une excellente bande-son.

Alors, bien placé devant le projecteur, les griffes en l'air, je me dresse. Je crache. Je frémis. Je penche la tête d'un côté, de l'autre. Je lance des regards diaboliques. Je m'appuie sur mes pattes arrière et je tourne sur moi-même. Je montre les dents.

Ma parole ! Un spectacle très réussi. Tiger et Bella m'accompagnent d'un sublime et aérien miaulement d'outre-tombe qui m'aurait fait dresser tous les poils si ce n'était pas déjà fait.

Les invités et les chiens partent en masse. Les rats quittent le navire. Le moment idéal pour conclure. Dans l'ombre, les griffes s'abattent. Comme un vélociraptor sur sa proie.

Attrapé !

Attrapé !

Attrapé !

Attrapé !

Les invités hurlent. Tout le monde – hommes et chiens – s'enfuit, mort de peur. Le portail claque. Les cris de terreur résonnent. La clameur s'éloigne.

De plus en plus loin.

Loin.

Toujours plus loin.

Et puis, le silence.

Et puis, par-dessus le tas de saucisses écrasées, Ellie et son père. Je bondis sur mes quatre pattes, un poil trop tard. Ils m'ont vu – lançant ma dernière attaque de vélociraptor. Je tire ma révérence.

Monsieur Je-n'ai-pas-le-sens-de-l'humour n'apprécie pas beaucoup.

– Toi !

Tiger et Bella apprécient encore moins cet homme quand il pique sa crise. Ils filent chez eux.

Je reste seul face au Maître.

J'ai droit à une grande scène. Il me regarde comme s'il allait m'électrocuter ou bien me transformer en nœud plat, et me faire tourner au-dessus de sa tête.

– Toi! Infâme, abominable brise-fer!
Tu as gâché notre fête. Tu as tout fait rater!

Je m'apprête à lui faire un petit clin
d'œil et à filer, après tout, j'ai déjà dîné,
mais Ellie intervient.

– Arrête de t'en prendre à Tuffy! Tu
n'as rien compris! Son seul tort, c'est
d'avoir essayé de faire fuir tous ces hor-
ribles chiens qui en avaient après notre
buffet.

Elle me serre dans ses bras, elle frotte son visage contre moi.

— Oh, mon cher, si gentil, si intelligent Tuffy ! Quand il a vu tout ce bazar, il a repensé à cette histoire de fantômes dans mon placard.

— Il n'y a pas de fantômes dans ton placard, grogne-t-il. Que ce soit clair, les fantômes, ça n'existe pas !

— Si Tuffy pense qu'il y a un fantôme dans le placard, c'est que c'est vrai ! dit Ellie. (Elle est vraiment loyale, cette fille.) Et s'il pense qu'il n'y en a pas, c'est que c'est vrai aussi.

Une excellente suggestion. J'espère qu'il va s'en souvenir. Mais bon, il ne semble pas vraiment d'humeur à se souvenir de quoi que ce soit alors qu'il doit tout ranger. Ça va prendre la nuit ! Ellie et

moi, on part au lit, bien évidemment…
Mais je suis réveillé plusieurs fois par des tintements, des murmures, des jurons. Il balaie les débris de verres, il remet les meubles à leur place. Le père d'Ellie ne pense jamais aux autres. Il faut bien le reconnaître, c'est un égoïste !

Mais bon, grâce à Ellie, j'ai maintenant un bon moyen de me venger de lui chaque fois qu'il est méchant avec moi.

Vous vous rappelez ce qu'elle a dit : « Si Tuffy pense qu'il y a un fantôme dans le placard, c'est que c'est vrai ! »

Alors, quand j'ai envie qu'il passe une bonne nuit, je m'installe dans le lit d'Ellie, je ferme les yeux. Et elle aussi. Et puis, une ou deux minutes après, elle s'endort. Et là, je me venge de toutes ses mesquineries, ses méchancetés (comme organiser une fête d'Halloween plutôt que mon anniversaire), je me tortille en regardant le placard jusqu'à ce qu'Ellie jaillisse de son lit pour aller retrouver sa mère.

Et lui, il est envoyé au royaume des bosses.

Et moi, je suis bien.